시간정지용사

TIME
ST⊕P
BRAVE

세상을 구하기에 남은 시간 3일 설정은 너무 짧아

11 Yasunori Mitsunaga

CONTENTS

▶START
PAUSE

그건
금지된
대마법…

프레젠트
라이프.

미리아,
그만둬라.
그런 마법을
써선
안 돼!

?!

뭐라고?!

문자 그대로
술자의 생명을
피술자에게
건네주는
마법이야.

소화 활동을 부탁 드립니다.

불이...!

불이이이이!

화르르

사람 살려.

르르

르르

내가

할 수 있는 일은 이 정도 뿐이니까.

샐러맨더의 모습을 보자마자 준비를 시작하지 않았다면

수완이 좋군.

꼭 그렇지도 않아.

이런 대처는 불가능 했을 거야.

철써어어어

저 샐러맨더는 원래의 샐러맨더가 아냐.

적의 손에 떨어져서 언데드로 변한 상태다.

세카이의 말을 빌리자면

뱀파이어 샐러맨더

인 거지.

뱀파이어는 구울과 같은

언데드 속성.

어둠의 자들의 경우와 마찬가지로 성(聖) 속성 마법을 공격 수단으로 활용할 수 있지 않을까?

…!

그렇다면 ….

그러든지
말든지.

화산재와 연기가
가라앉고,
다음 날
해가 뜰 때까지
얘기지만
말이야.

다만,
이제
그럴 기회는
없을지도
몰라.

쿡쿡쿡.

반드시
복수
하겠다.
남녀노소
가리지 않고
능욕해주마.

화산의 연기가
진정되면

이곳의
햇살은
그 어느
곳보다도
강렬하거든.

오카메!

내 검이
닿는 범위 내에
제 발로
뛰어들어
오다니.

수고를
덜었는걸.

대형 몬스터가
전부
이런 식이면
좋을 텐데.

보지도
않고
베다니!!

소드 마스터 씨! 협력 할게!

그런데 샐러맨더가 너무 궁전 가까이 접근하는 바람에

상공의 흑룡은 그냥 한가하게 공중에 떠 있을 뿐….

어휴, 정말이지.

그건 그렇고,

쿠즈노는 대체 뭘 하고 있는 거지?

하지만 총력전 자체는 싫어하지 않아.

무(無)다.

아무것도
안 보이고,
아무것도
안 느껴져.

무언가
끈적하고
기분 좋은
느낌….

뭐라고
할까,

따뜻한
뭔가가
느껴진다.

아니.

내 안의
무언가가
격렬하게
반응하고
있어.

뚝뚝 뚝 뚝 뚝

이 감각은
대체 뭐지?

몸에

천천히, 천천히
온기가
감도는 것이

느껴진다.

그와
반대로,
한 군데로
피가 몰리는
듯한
느낌도 들어.

세카이
….

세카이
….

날
깨우지 마.

나는
아직….

누구야?
내 이름을
부르는
사람은….

미리아는?!

절단된 흔적마저 사라지고 있군.

미약하지만 숨은 쉬고 있습니다.

범위 지속형 회복 마법의 효과 덕분에 기적적으로 목숨을 부지한 건지도 모르겠군.

그런가.

뭐…? 절단이라니, 무슨 소리야?

맞아. 그때, 왕한테 당해서….

미리아, 죽지 말아다오.

혹시 나, 죽었었나?!

죽어…?

콰지—익

회복 마법
결계가
붕괴했다.

일단 시간 정지.

뭔진 몰라도 위기잖아!

아, 컨트롤러를 잃어 버렸지?!

큰일 났네.

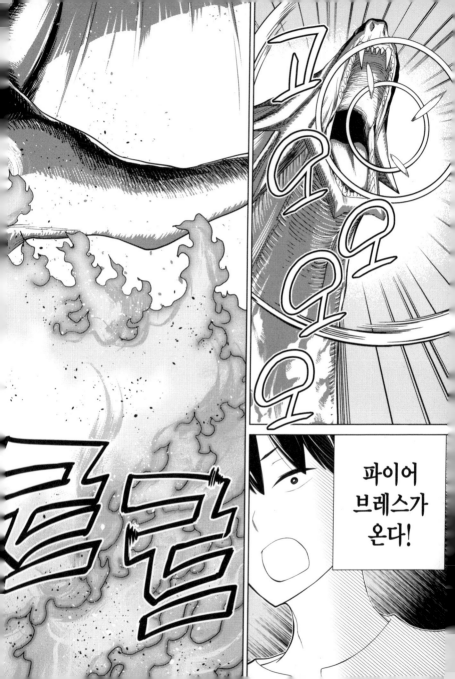

하

아

아

아

아

아

아

세카이,

우리는 이 빛을 본 적이 있다.

맞아.

하지만 그게 가능한 사람이 오프쇼어로프에 있을 리가….

?!

비켜줘

사유키.

무슨 일이 있었지?

이분이 자신이 할 수 있는 일은 기도하는 것뿐이라고 해서

다 같이 기도하게 됐는데…, 그랬더니….

위정자인 여성만이 실행할 수 있다는

틀림없다. 이건

2 3 4 5 6 7

START
►PAUSE

TIME S⊕P BRAVE

이게
뭐지?

밀려
나온
사람은

마족
뿐인가?

...

갑자기
뭐야!
만다리아
과육을
가득 얹은
빙수를 먹고
있었는데!

발
끈

제34화 쫑파티 정지
Wrap-up-Party and Stop

섬 전체가 빛에 휩싸여 있어.

언니, 이게 대체….

글쎄다. 일단은 물러나자.

우리의 역할은 끝났단 얘기야.

그런데 이번 클리어 조건은 대체 뭐였던 거지?

많은 일이 겹치고 겹친 탓인지, 잘 모르겠어.

00:00:03

의외로 이벤트 조건이 아니라, 공덕의 누적 이었다거나?

뭐가 됐든,

언제나 그렇듯 카운터가 0이 되고….

이건….

71:59:58

남은
시간이

또
사흘이야?!

쿠즈노.

말도
안 돼.

이건 사유키가 발동시킨

프린세스 프레이라는 거야.

모르긴 몰라도 이 빛에는 ※UV가 많이 포함되어 있는 거겠지!

※자외선.

그럴 가능성은 있어.

저 사람이 이 나라의 통치자라도 된단 말이야?

프린세스….

원래 이사웰라 교국은 왕의 혈족이 아니라, 가장 뛰어난 샤먼이 왕위를 이었대.

그리고 사유키의 어머니는 당대 최고의 샤먼이었다나 봐.

자질은 충분하다는 거구나.

떠—엉

떠—엉

떠—엉

파파파파파팟

파파파파팟

넌 아무것도 안 한 모양이던데?

어쨌든 끝났네.

리파도 수고했어.

나한테는 중대한 문제가 남았지만 말이야.

정말 아무것도 안 했어.

난 동료가 아냐.

동료들에게 감사할 뿐이야.

미리아는?

무녀 대기실에 있습니다.

용사님.

왜 임전 태세지?

퓨리….

세카이.

일단 퓨리한테서 눈을 뗐으니까.

조심스러운 행동을 나쁘다곤 할 수 없지.

이걸 돌려주마.

……!

네가
컨트롤러라고
부르는
물건이다.

소중한
물건이지?

아니.

중요한 물건을
함부로
건들진 않아.

퓨는
착한 아이네.

고마워.

버튼,
눌러
봤어?

그보다
미리아는
무사해?

아버지처럼
부르지 마라.

계속 의식이
돌아오지
않고 있어.

생과 사의
틈새에
있다고 하면
될까.

호흡도
맥박도
절반
이하.

체온도
낮지만
시체보다는
높아.

그야말로
생과 사의
틈새야.

미레이.

용사님.

미리아의
몸 안으로

구슬이.

여러분이
섬에
와주셔서

정말
다행
입니다.

진심으로
감사합니다.

나 자신이랑
미리아를 위해
한 일이야.

검술이
뛰어난
자에게
부여된
숙명 같은
거지.

후
후

후

평의회의
의향에
따랐을
뿐이야.

낮에 묘한 얘기를 해서 말이야.

이 섬에서 해야 할 임무에 대한 얘기.

역시 나한테….

리파.

볼일도 없는데 날 만나러 오다니, 웬일이야?

바보 같은 소린 그만해.

뭐가?

막혔다.

난 내일 돌아가지만, 이 섬에서 조금 신경 쓰이는 일이 있었다고 한다면

쿠즈노는 흥미를 보일까?

하지로
부터
일주일
인가.

쿠즈노.

미궁 입구는
내일 정오에
닫힌다고
했지?

설마
그 일본풍
세계에
무슨 일이라도
있어?

위대한
봉인의
지하
던전인가.

방법은
모르지만

년 시간을
조작할 수
있지?

날 최심부까지
데리고
가 줄 수
있을까?

그건
평의회가
결정할
일이야.

너를
제거하는 건
어려운 일도
아니니까.

그래서
어떻게
할래?

날   눈치
위험하다   챘다면
보고
제거할
기회는

얼마든지
있었을
텐데?

그게 아무리
비상식적인
결론이라도
선입관을 배제하고
사실을
받아들인다….

사상 최강의
소드마스터가,
최강인 이유 중
하나야.

시간
정지.

왠지
더
믿어

좋아.

데리고
가주지.

덜컹
덜컹
덜컹
덜컹

바퀴 달린
상자에
탈 거야.

역시
일본풍 세계에
갈 셈이구나?

안 가.

…?

덜컹
덜컹
덜컹
덜컹
덜컹

……

역시 날
몰래
제거하려는 거
아냐?

영문을
모르겠네.

아니니까,
입 다물고
있어.

덜컹

덜컹

덜컹

그렇다면
인식이
싹 달라진다.

이 광차는
다시 말해,

즉, 광차는
이 세계에
여럿
존재한다는
소리다.

리파는
일본풍 세계에도
광차가 있다고
말했다.

시간 정지 중

가자,
강키치.

니냐랑
애들을
데리고
오기 전에

숲속
인가?

미리 조사를
해둘 필요가
있겠지?

심지어

낮이야!!

‖ 시간 정지 중

저
사람은…

엘프?!

제34화 / 마침

쳐
마
마
마

...

시간
정지.

우와,
엘프다.

퓨리를
제외하면
처음이야.

질식

빤
히

사
사
사

풍어
져라

。

제35화 ✕ 엘프 정지
Elf and Stop

엘프다
….

우와.
굉장해.

주물
주물

두리번
두리번

해제.

타닥

자.
저 엘프는
과연 어디로
가는 걸까.

혹시 모르니.
바람이
불어가는
쪽으로
몸을
숨겼는데….

추측이긴
하지만
저 엘프가
가는 곳이

다음
스테이지야
….

그런 느낌이
들어.

시야에서
사라지면

시간
정지.

먼저 표적이
시야에서
보이지
않을 때까지
대기.

참고로
내가 고안한
미행법을
해설하자면

이게 바로
절대
간파당하지 않는
미행법이다.

정지
해제.

시간을
멈춰서
찾은 다음,

다시 바람이
불어가는
방향에
몸을 숨기고

난 천재
일지도?

그 이후로는
계속 반복.

내
발자국
이야.

이건

잠깐.

저
엘프는

미행을 경계해,
숲속을
우회하고
있는 건가?!

‖ 시간 정지 중

말하는
거나
마찬가지다.

그만큼
저 엘프는
남에게
알리고 싶지
않은 곳으로
가고 있다고

반대로
말하면

당연할지도
모르지만

수상해
보이는
나를 만난
이후이니,

이렇게 된 이상,
시간이
얼마나 걸리든

철저히
미행해
주겠어!

화재가 일어 났던 건가?

아무도 없어.

아주 오래전 화재는 아닌 것 같아.

무인 (無人) 이야.

아니?!

해제.

지금도 그렇다.

뭐?

그러니까 그런 공격은 안 통하니, 제발 그만둬! 계속 무장 해제 당하고 싶어?

겨우 대화할 마음이 들었구나.

그래, 그 말대로야.

지금도 이곳은 신성한 엘프 마을이다.

외부인이 어슬렁거려도 되는 곳이 아니야.

시간 정지.

잠깐.

그 골렘은…

네가 부리고 있는 건가?

골렘 연성 마석은

엘프족 외엔 가지고 있지 않을 텐데.

어디서 입수했지?

아, 이건 빌린 거야.

퓨리한테.

아니지.
처편에서
나왔을 때는
심야였으니.

해가
지고
있어….

벌써 시간이
그렇게
지났나?

지금은
오전인가?

정오가
되면

그렇게 되면
1년간은
오프쇼어로프에
돌아갈 수 없게
된다.

미안하지만,
일단
돌아갈게.

위대한 봉인의
던전 입구는
닫히고 말아!

쿠즈노 세카이.

이 세계를 어둠의 세력한테서 구해내는 용사가 직업이지.

용사….

당연히 그럴 수밖에!

믿을 수 없군.

강키치, 왜 그래?

그러고 보니 아직 가동되고 있었구나

응?

아니?!

후욱…

시간 정지.

데리고 올 테니까 조금만 기다려.

그럼, 쌩쌩하지.

사라졌어!!

데려와…?

정말,

서두르자!

시간이 멈춰 있으니, 서두르지 않아도 결과는 같겠지만

왠지 마음이 엄청 급해!

대체 정체가 뭐지?

사유키의
기도는
계속되고
있군.

섬사람들이
교대로
지켜보고
있는 건가.

정지
해제.

누님,
출항 준비가
끝났어.

차아아아아아

정말
먼바다로
나가도
괜찮을까?

그럼 어서
출발하자.

밖엔 마족이
득실대는데.

이제
이 섬에서는
할 일이
없으니까.

문제없어.

쿠즈노가 준
이 검이
있으니까.

회복의 돌을
박아놓은,
이 파사(破邪)의
검이.

평의회는
이 검에
흥미를
보일 거야.

마운트
케이프산
(産)
이라고
하는데,

철참
소드로도
대처할 수
있지만

좋은
선물이
생겼어.

이 검이라면
일격에
어둠의 세력을
제압할 수
있지.

고
오

오

오

오

여기는
퓨리의
고향?

역시.

엘프 마을
부근이야.

여긴…
설마.

안내해 줄 수 있을까?

한 번 갔다 오긴 했지만, 가는 법을 잊어버려서.

...

그렇게 가면 조금 전에 갔던 장소로 되돌아가.

퓨리, 아냐.

아니.
이게
맞다.

이 숲은
'방황의 숲'이라
불리지.

정해진
경로를
제대로
지나지
않으면

영원히
마을에는
도달할 수
없어.

마법이
거의
사라진
상황이긴
하지만
말이야.

마법
이다.

대지 계열
마법
중에서도
궁극의
레벨에
속해.

그래~?
대체
어떤 구조인
걸까?

시간이 조금 더 지나면

마법 효과가 사라져서

누구나 쉽게 마을에 도착할 수 있을 거다.

엘프족이 있었나?

누구지?

한 사람, 있었어.

지금은 아무도 없겠지만….

가보면 아는 건가.

엘프의 외모는 거의 다 그렇다만.

따라와라.

살결이 투명할 정도로 희고, 금발인 미녀.

그리고 가슴이…

ㄱㄱ

ㄱㄱ

여기가
엘프
마을이구나.

ㄲ ㄲ ㄲ ㄲ

퓨리….

에스텔.

숨이
넘어가기
직전이야.

이제 와서
네가
뭘 할 수
있단 거지?

숲의 마력은
아직
살아 있었다.

즉,
마을은 아직
완벽히는
죽지 않았어.

어?

이 나무, 따뜻하지 않아?

두근...

그래?

그런가? 난 아무 느낌이 없는데.

너희들! 상라님을 함부로 만지지 마라!

게임
플레이어여
….

뭐….

뭐라고?!

다음 권에 계속

수수께끼의 인면수, 삼라의 인도로
세카이는 다음 모험에 나서게 된다.

어서 와라, 플레이어.

나무 안에서 펼쳐지는
대미궁 공략.

제 **12** 권, 많이 기대해주세요!!!